쓰린 밤

쓰린 밤

발　행 | 2025년 3월 29일
저　자 | 시바라기
블로그 | blog.naver.com/poflo
펴낸이 | 한건희
펴낸곳 | 주식회사 부크크
출판사등록 | 2014.07.15.(제2014-16호)
주　소 | 서울특별시 금천구 가산디지털1로 119 SK트윈타워 A동 305호
전　화 | 1670-8316
이메일 | info@bookk.co.kr

ISBN | 979-11-419-2541-3

www.bookk.co.kr

Capella

쓰린 밤

AURIGA

시바라기 시집

Mars

Aldebaran

TAURUS

시인의 말

어느 날 로봇이
시를 쓰기 시작했다.
감정이 생긴 걸까?

2025년 3월
시바라기

차례

시작(詩作)

어느새 나의 머릿속에

감성적인 단어와 글로

채워지는 걸 보니

설렘이 싹트려나 보다

꽃향기

좋은 향이 난다.
너에게서

하얀 이가 드러난다.
그 향에 취해

스쳐 떼주었다.
옷에 묻은 꽃잎을

얇은 머리카락이었다.
꽃잎으로 착각한 건

한없이 즐거웠다.
너의 반응에

꽃잎

꽃 같은 그대여
언제나
꽃잎을 휘날리시네요

그대 지나간 자리
그득히
꽃향이 묻어있네요

남겨진 꽃 잎 한 잎에
자꾸만
그대가 생각나네요

천리향

너의 향은 매우 매혹적이다
멀리 있어도 그 향이 느껴진다

너의 유쾌한 웃음소리,
심지어 대화까지

누군가 너의 향을 묻혀 오면
되레 화가 나고 질투가 난다

차라리 네가 은은한
들국화였으면 한다

매직아이

집중하면 보이는
매직아이

내가 먼저 발견한 줄 알았던
너의 매력

남들은 못 볼 줄 알았던
너의 매력

나만 좋아한다고 착각했던
너란 아이

알람

빗소리가
나의 단잠을 깨우고

너의 톡은
나의 마음을 깨우네

순간을 집중하는 너

이 순간을 집중하는 너
이 모습이 좋았다

저 순간을 집중하는 너
저 모습이 미웠다

그 순간을 집중하는 너
그 모습이 그립다

위성

너에게 쏘아 올린 나의 마음은
저 멀리 천천히 다가가
너의 주변을 공전한다.

내가 만든 자그마한 그늘이
지쳐버린 너에게
쉼이 되어주고,

길을 잃은 너에게
반짝거리는 손짓으로
등대가 되어주기도 하고,

때론 너의 빛이 멀리 나아가도록
저만치 한편 어둠 속으로
조용히 비켜준다.

너무 멀지도
가깝지도 않은 거리에서
주변을 맴도는 나의 마음.

비 오는 밤

슬픈 노래는
빗소리와 함께
리듬을 맞추고

천둥소리에
내 심장소리를
두근두근 섞어

설레이는
이 호흡에
밤을 보낸다

방울

내가 좋아하는 너에게
받고 싶은 선물이
하나 있다.

방울.

흔들리는 처마 끝에
방울을 매달아 두고 싶다.

방울 소리가 나면
네가 나를 떠올린다고
난 생각하고 싶으니까.

밤양갱

나는 너의 마음을
알고 싶어
졸라댔었지

네가 사준
달디달고 달디단
밤 양 갱

땅콩버터

네가 사준
땅콩버터

그 맛으로
난 버텨오지

유통기한 지난 채
냉장고 속 그 자리에

바보똥꼬

함부로 바보똥꼬라고
부르지 마라.

길거리에서 너는
누굴 향해 불렀건만

네 명 중 한 명이
돌아볼 것이다.

항세상 항사랑
똥꼬바보가.

한국인 서너 명 중 한 명은 치질이라는 통계

바늘

내 잔잔한 감정을 극대화하여 끌어내주는 사람
몇 개 없는 감정을 풍부하게 만들어주는 사람
압축된 세상이자 거대한 에너지를 가진 사람

내가 왜 이런 감정을 느끼고 예민해지는지,
나를 리셋 시키는 조그마한 구멍을 찾아
꽂는 바늘처럼 너는 자꾸만 나를 찌른다

눈길

모든 세상이
눈으로 하얗게 덮여
한 치 앞도 내다볼 수 없을 때

얼어붙은 눈길 속
살얼음 속에
너에게 보내는 따스한 눈길

녹다 말고
다시 얼어버린 너의 빙판길
쉬이 다가갈 수 없는 길

계절이 바뀌어도
변하지 않는
메마른 빗길

시선

이제야 보이기 시작한 시선,
시선은 진실을 담고 있다.

시선을 떼지 말고
끝까지 주시해야 한다.

그래야 진실을 알게 된다.
그 속엔 사랑이, 진심이, 관심이,
순수함이 묻어 있다.

아는 만큼 보이는 시선은
슬픔을 저만치 간직하고 있다.

너만 모르지

너무나 밝은 별은
주변이 어두운지 모르고

너무나 향기로운 꽃은
주변이 향긋한지 모르니

너는 주변을 얼마나
따스하게 만드는지 모른가

장미

그대 좋아하는 장미
모두 따다 가시에
백번 찔려도 좋으니

장미 같은 그대여
내 마음 전할 수 있게
잠시 가시를 거둬주오

아메바

나는 너의 앞에선
단순해질 수밖에 없다.

아메바.

아무리 복잡한 감정도 머리도
　네가 준 화해의
메모 한 장에,
　난 그렇게
바보가 된다.

아메바보다
더 단순한 단세포.

그저 너의 작은 관심은
내 삶의 커다란 에너지가 된다.

정작 나는

종이에 손을 베였다.

며칠 전에 산 후시딘이
보이지 않는다.

곰곰이 생각해 보니
내 후시딘은 너에게 갔더라
마데카솔도 이미 네 거더라

정작 나는
그저 자연치유

대일밴드 하나 남았다.

사실 또 샀어

인정

칭찬을 갈구하는데
갈구기만 하네

잘 보이고 싶을 뿐인데
막상 밉보이기만 하네

인정할 수밖에 없도록
더 오기만 부리네

기대

바보 같지?

후회할 거 알면서

또 기대고

기대하고

해바라기

네가 왜 삐뚤어졌을까?
나를 향해 돌려놔도
아무리 막아봐도
넌 해를 쫓아가겠지

다 내 욕심이었구나
변치 않는 너의 본성에
내가 장애물을 만들었더니
너는 더욱더 단단해졌구나

태초의 본성이 나였으면

유성

너는 멀리서 보면
내 소원을 들어줄
아름다운 유성 같지만

가까이 다가오면
내 마음을 다치게 할
잠재적 위험요소이다

어린왕자

너의 행성에
그대로 머물러다오

그때가 가장
반짝이었을 때이니

나의 영원한
어린왕자로 남아다오

강판

너에 대한 내 마음은
오랫동안 한 땀 한 땀
강판 위에 새긴 것과 같아

쉽게 지워지지도
마음을 접기도 어렵다

눈멀마멀

눈에서 멀어지면
마음에서 멀어진다

나는 너를 붙잡고 싶었다
그래서 내 곁으로 불렀다
혼신의 힘을 다해

밑그림부터 그려가며
채색해 나갔다

그러나 어디서부터
잘못되었는지
완성되어 가는 과정에서
부조화가 느껴졌다

그리고 이내 후회가 밀려왔다
내가 감당할 수 없이
이미 어그러진 색채는
그림 한켠 불편하게 지키고 있다

모른 척해도
불안감은 점점 커져가고 있었다
이제 찢어야만 이 그림이 안정적인 미완성으로 끝날 것임을
직감한다
그리고 나에게 선택의 시간이 다가왔다

얽힌 끈

얽힌 끈을 풀려면
시간이 걸린다.

바뀌어버린 순서를
다시 맞추기 위해선
차근히 집중해야 한다.

다시 얽히지 않게
차분히 조심해야 한다.
그래야 올곧게 나아갈 수 있다.

우린 순서가 바뀌었다.
너무 빠른 나머지 모든 것이
복잡하게 뒤엉켜버렸다.

풀리지 않는 실타래 안에
커다란 공백과 빈 시간으로 채워져 왔다.

이젠 더 이상 무르지 말고
비록 시간이 더욱 걸릴지라도 천천히
다시 씨줄과 날줄로 엮어가고자 한다.

이 얽힌 끈을 시작으로
우리의 관계를
견고하고 튼튼하게 묶어보련다.

운명

운명이란 그런 것이다.

같은 자리 그 자리서
하루만 더 매일 그렇게
기껏 몇 년을 기다렸건만
지쳐 뒤도는 순간
그제야 지나간다.

그렇게 비껴갈 운명,
운명이란 가혹한 것이다.

악몽

너와의 좋았던 추억은

꿈속에서 악몽이 되어

다　　끝 났 다

희미한 잠꼬대

네가 희미해질수록
시 창작력은 떨어져 가오

꽃 같은 뮤즈여
그대 향은
나를 매료시키고
나를 끌어들이는
원동력이었소

이제 져버린 그대는
아무도 찾지 않고
더 이상 찾지 못하오

세상은

바람이 불기 시작하고

기온이 내려

온통 눈밭으로 변할게오

다시 피어날 새싹으로

처음부터 다시 시작해보오

꽃 같은 그대여

이젠 아디오스

잠결에 쓴 시

새해인사

네게 건네는 새해인사는
작년에 건네주지 못하고
일 년간 소중히 간직한 인사야

지난 한 해 고마웠고
새해에도 잘 부탁해

건미역

내가 갈망했던 사랑은
마치 건미역 같았다

배고픔에 허겁지겁 다 해치울 때까지
앞으로 일어날 일을 예측하지 못했다

건미역 같던 사랑은 얼마 안 가
내 안에서 불고 불고 또 불어

소화 능력을 넘어 다 게워 낼 정도로
주체할 수 없는 고통과 후회가 시작되었다

형광등 안정기

내가 지금까지
빛을 낼 수 있었던 건

네가 안정적으로
잡아주었기 때문이었으랴

하지만 어느 순간
우리 사이 깜박깜박거리더니
불꽃이 크게 일며 폭발하였고

우리의 밝았던 지난날들은
깜깜해진 방안에
조용히 묻혀버리었다

깜박이는 형광등 방치하다
불을 켰는데 안정기가 터졌다

낭중지애(囊中之哀_주머니 속 슬픔)

슬픈 선 위에 제아무리
화려한 색을 덧칠해도
서글픈 감정은 어쩔 수 없네

눈물로 슬픔이 씻겨지지 않듯
그 무엇으로도 숨겨지지 않네

슬픔은 낭중지추 같은 것이더라

위로하는 별

매일 밤, 나를 위로하는
아주 밝은 붉은 별

붉은 별은 곧 죽음을 의미하는데
그 빛이 너무나 밝아
곧 터질 듯 위태로워 보이구나

네 곁에 있는 작은 별,
쌍둥이자리인가

그 곁을 지키고 있었는데
나중에야 눈에 띄는구나

나와 같아 보여 너무나 슬프다
너 또한 위로받는 것이더냐

매일 밤, 나를 위로하는 밝은 별

그 옆에 있는 작은 별

2022. 11. 20.

화성과 엘나스를 보며

루퍼트의 눈물

너의 급격한 냉랭함에
내 눈물은 단단해져

세상 온갖 모든 슬픔
다 이겨낼듯 싶었지만

너의 일침엔
그저 나약한 모습으로
산산이 깨 부서졌다

달무리

오늘 밤 네가 쳐놓은 동그란
무리 안에 허락될 수 있다면

꽁해있던 내 마음 스륵 녹아내려
새벽 비로 영영 떠날 수 있으리

위안

위로의 말을 건네는 건
나에겐 가장 어렵다.

나는 언제 위로를 느꼈는가
생각해 보면
내 마음이 편하게 느껴질 때
진정한 위로가 되었다.

상대가 느끼는 편안함은
다 다르기에
남들 따라 한 위로는
도움이 안 되는 거였다.

그래서 어려웠다.

진정한 위로는 상대의 마음을
편하게 하는 마음에서 비롯된다.

우리가 원하는 위로는 위안이었다.

하현달

그림자를

주변 색에 맞춰

잘 숨기니

처음엔 네가 반쪽인 줄

그러다가

정말 사라지는 줄만

알았잖아

부서진 마음으로 빚은 밤

천둥과 파도에
내 마음 산산이
부서졌어도

그 가루 모아다
반짝 별을 만들어

저 하늘 한쪽 끝
작은 조개 자리에
몰래 숨겨 놓으리

좋다

매일 보는
하늘이지만
푸른 하늘만 보면
나도 모르게
날씨 좋다
좋다

매일 보는
네 얼굴이지만
웃는 네 얼굴만 보면
나도 모르게
기분 좋다
좋다

녹음

싱그러운 녹음 내 사이로 들려오는
청아한 너의 소리 녹음하여
달빛 녹아든 밤 조용히 꺼내본다

고×100

너와 함께
하고 싶고
보고 싶고
생각나고

이렇게
백 개 채워
고×100 하면
사귀는 거다

만약

만약이 없는걸 알아

하지만 그래도

만약에   말야

우산 1

대신 맞아주는

빗방울 수만큼

날 사랑하는거

알아

자전거 탄 풍경, 〈그렇게 너를 사랑해〉를 들으며

우산 2

비를 대비하여
여기저기 가는 곳마다
우산을 갖다 놓아도
그럼 뭐 하냐고

막상 비 올 때
우산이 없는데

더도 덜도 말고

너라서
오늘 더 즐거웠다
내일도 즐거우랴
너라면

너와 함께라서
오늘 덜 외롭고
내일도 안외롭지
너와 함께라면

오늘 더도 말고
내일 덜도 말고

사랑니

가슴앓이 첫사랑
이앓이 사랑니

사랑이란 원래
속절없이 앓는 건가

첫사랑은
먼발치서 지켜보고

사랑니는
발치로 이별한다

이름값 못하는
사랑할 수 없는 이

그냥

그냥은 말야

많은 이유들이

모여서야

이해되는 거야

답답

답, 답,

답을 찾아 헤매며

한참을 답답하다

오답만 내려

널 서글프게 했다

멍

언제였는지
저 구석에서부터
작은 멍이 들었고

점점 크게 번지더니
더는 한 치 앞도
볼 수 없게 되었다

작은 충격은 결국
검은 구멍이로
널 잠식했구나

핸드폰 액정 나갔어요

맑은 하늘

구름 한 점 없는 하늘
내 근심 걱정도 이런 하늘처럼
맑았으면……

그날 밤
온통 하늘엔
구름이 드리워져있다

블루베리 나무

두 그루의 블루베리 나무가 있었다

물을 많이 필요로 하는지 알고 있었지만

하나의 나무가 꽃을 맺고 열매를 맺을 동안

바로 옆에 있는 너를 어찌 못 보았을까

사랑에 목마른 너의 소리를 못 듣더니

결국 비가 왕창 오는 날 알게 되었다

너의 잎은 이미 시들었고

바짝 마른 잎은 더 이상 기능을 하지 못했다

늦은 후회로 물을 아무리 주어도

잎을 어루만질수록 떨어지기만 한다

내년엔 너의 잎을 다시 볼 수 있을까

미끼의 춤질

너를 유혹하기 위해
관심을 받기 위해
열심히 살아있는 척
활기찬 척 춤을 춰

저 멀리서 날 발견하고
다가오다가도
눈앞에서 뒤돌아설 때
난, 힘이 빠지고 축 늘어져

땅멀미

망망대해 같은 마음속
쉴 새 없이 일렁이는 파도에
멀미약까지 챙겨가며
겨우 적응했는데

정착할 수 없음을 깨닫고
힘겹게 너를 떠나
내가 살던 곳으로 오니
이곳도 다시 적응해야구나

널 적응하는 시간보다
잊는 시간이 더 걸렸다

그저 그냥 그렇게

아무 말 없이
별말 없이
특별한 거 없어도

그저 그냥 그렇게
조금이라도 더
같이 있고 싶어서

환승 못하고
돌아가더라도
좀 더 걷게 되더라도

시간이 늦어
조금 더 걸리더라도
택시 타고 가더라도

조금만 더 가까이

조금만 더 오래

그저 그냥 그렇게

반감기

너는 나를 잊는다
하루가 다르게
아주 빠른 속도로

얼마나 잊었는지 가늠이 안된다
자주 충전해주지 않으면
완충하기까지 오래 걸린다

자주 만나고 연락하여
내가 너를 얼마나
애틋해하고 그리워하고
사랑하는지 알려주어야 한다

그렇게 널

전에도 그렇고
지금도 그렇고
앞으로 그렇고
꾸준히 너만을
좋아할 것같아

지금

네가 가장
예쁠 때는

지금
바로 지금
여전히 지금
쭉 지금

초능력

어릴 적 어디든 갈 수 있는
순간이동을 하고 싶었다

지금은 딱 한 곳만
갈 수 있음 좋겠다

너의 마음속
깊숙이

음유시인

사랑을 노래하는
시인이 된다는 건
기쁜 일이다

그대를 향한 나의 관심과
그대를 향한 나의 마음은
시가 된다

아무 의미 없는 물건들이
너에게서 건네질 때
그것은 시가 된다

아무 의미 없는 사건들을
네가 기억해 줄 때
그것은 시가 된다

살포시 포개던

너와 나의 추억은

시가 되어 곁에 남는다

사랑을 노래하는 시인이 된다는 건

기쁜 일이다

아아 오르페우스여

그대도 이렇게 기뻐한 적이 있었느뇨

뮤즈

너무 서운할 것도
울 것도 아닌

내가 평생 잡지 못할
인연, 뮤즈

저 멀리 잡을 수조차 없는
무척이나 빛나고 뜨거운 별

외로울 때 안아줄 수조차 없는
닿을 수 없는 별

항상 동경하는 별

뮤즈란 그런 것
아— 쉬운 것도 없더이다

뮤즈란 투명한 유리 사이에
현실과 이상이 마주 두는 것

잎 헤는 밤

집에 돌아가는 길
살랑이는 꽃가지 하나 꺾어

잎 하나에 설렘과
잎 하나에 희망과
잎 하나에 기억과
잎 하나에 사랑을
실어 보낸다.

좋아한다.
안좋아한다.
……
좋아한다!

짝사랑

짝은 분명 둘인데
왜 혼자 하는 사랑을
짝사랑이라고 하는가

이건 홀사랑 아닌가?
나만 좋아하는
홀로 가슴 아픈 사랑

누룽지

밥풀이
하나 둘 늘어

마음속 짙게
눌어붙으니

짓눌린 마음
꿈쩍 않는데…

누룽지 해먹어

11시 59분

12시에 헤어지잔
시간이 흐르자

분의 끝이
100이었다면

40분 더 같이
있을 수 있을 텐데

약속한 60,
1분 뒤 우리 헤어져

횡단보도 신호등

너의 마음은 더 이상
나를 기다릴 시간이
얼마 없다는 듯
마지막 신호를 보내며
빠르게 줄어들고 있다.

어느새 반만 남았다.
깜박이며 쳐다보는
절박한 마음 끝에
나는 온 힘을 다해
냅다 너에게 달려간다.

꽃가루 알레르기

꽃가루가 날라와
얼굴에 살포시 앉았다.

나는 무엇이 부끄러워
열꽃이 발갛게 피어올랐다.

농익기 전에
피부과 가야 하는데

눈물꼭지

방에 들어오니
내가 아끼던
수도꼭지가 틀어져 있다.

평소에도 가끔
틀어져 있을 때가 있었는데
오늘은 유독 더욱 서글프게
물이 흐른다.

나는 수도꼭지 주변을
맴돌며 두드려보고
귀를 갖다 대본다.

우물 속 아픔이 다
흘러나올 때까지
멈추기를 기다린다.

시린 냉수

차가운 물이 멈추지 않고

계속 쏟아진다

시린 이가 발버둥 치며

잇몸을 심하게 짓누른다

온 신경이 잇몸으로 향한다

시린 이에도 봄은 오는가

But꽃 피는 치과의원

그리움

뒤돌아보게 돼
너를 닮은 뒷모습에

한 번 더 보게 돼
너와 닮은 분위기에

심지어 그림자에조차
반응하게 돼

나도 안다
네가 여기에 없다는 걸

뭉게뭉게 사계

꽃잎을 모아다
행복을 느끼겠어

소나기를 모아다
슬픔을 씻기겠어

낙엽을 모아다
추억을 그리겠어

눈을 모아다
너를 만들겠어

지나가던 구름도
옹기종기 모여
웃고 울었다

반짝이는 생각

스쳐 지나가버린
번뜩이는 생각이여

아무리 머리를
굴려 보아도
넌 다시 오지 않는구나

내 손에 들어온 적 없는데
가진 것 잃은 것 마냥
하염없이 슬프구나

조각

시는 조각과도 같다

덩그러니 내던져진 소재를
언어라는 도구로 조각한다

가끔은 도구가 무디어져
다듬어지지 않기도 하고

날카로워 살짝 건드렸는데
소재가 부서지기도 하지만

시인은 애써 태연하듯
조각을 멈추지 않는다

언어

어째서

너의 언어와

나의 언어가

닮아가는 걸까?

사랑은

동기화

설레음

세상에 아무리 아름다운
단어와 문장이 많다만

내 가슴이 가장 설레는
언어는 네 웃음이다

국자

마음 하나를 떠서
태양에 비춰 본다

조그맣던 사랑이
그림자져 보인다

후각

내 후각은 유독 예민하다

여름, 후줄근한 비를 맡는다
겨울, 신선한 새벽을 맡는다

쓸쓸한 밤공기를 느낀다
그리고 향을 피워 지운다

그렇게 날씨와 계절을 기억한다
그날의 너를 기억한다

늦더위

나는 너를 잊고자
옷 정리를 다했는데

너는 왜 아직도
내 곁을 맴도니

지겹게 뜨거웠던 지난날은
이제 그만하면 넣어둬

가마솥 더위

한여름 가마솥 안에
한낱 백숙처럼
육수를 흘리고

작열하는 태양 아래
불붙은 초처럼
온몸이 녹아내린다

낙엽

하늘 구름이 좋다던 너

매일 아침 고갤 들어
네가 좋아하던 것들을 보면
온통 네 생각이 들었는데

너에게 물들 때쯤
계절이 지는 것처럼
가을바람에 나를 저버렸네

그 사이 내 갤러리
하늘 구름 쌓여가다
어느 하나 보여주지 못한 채

아낌없이 주는 나무

그 아이는 언제나 밝았다
그래서 주변은 항상 따뜻했다

순수한 에너지를 모두 내주고
그는 우리 곁을 영영 떠났다

그 당시엔 그렇게 슬픈지 몰랐다
그가 준 너무나 밝은 따스함에

아낌없이 준 그는 알고 있었다
자신이 얼마나 큰 어둠을 품고 살았는지

그래서 밝아지기 위해
자기 몸을 태워야 한다는 걸

잃다 못해 잊다 말아

잃어버리고 말았네
생각도
감각도
사랑도

모두다
잊어버리고 말았네

숙성이 잘 된 시

전에는

몰랐는데

지금 보니

좋은 시

네가 숙성된 거야

잠 시

시 쓰려고 펜을 들고
동주, 지용, 상, 석 시집도 펼쳤는데
자꾸만 잠이 스르르 몰려와

하지만 그냥 내버려둬
꿈속엔 더 재미있고
창의적인 이야기가 많으니까

잠시만 훑고 올게

자기 위한
거창한 변명

못 드는 잠

한마리, 두마리, 세마리, 네마리

…………

양이

많기도 하다.

윤동주, 〈못 자는 밤〉 패러디

굄돌

한쪽 귀퉁이가 쓸리고
넘어지려 할 때마다

시를 지어다
괴어 놓았다

시는 그동안 그렇게 불안과
불안정을 안고 자라왔다

이제 안정적으로 되고 나니
더 이상 괼 필요가 없어졌다

추천사를 대신할 찬사

내가 살찌는 건
시바라기님의 시가 있어서에요.
마음이 살찌고 있거든요.^^

「살찌는 이유」 댓글 중, 'Anna'

역시 시바라기님은 언어유희 왕!ㅎㅎ
시 보고 나니 딸기에 달달한 연유 찍어 먹고 싶어요

「연유」 댓글 중, '기린이'

오오~ 혹시?
문과 감성 충만한 이과생?? ㅋㅋㅋ
짧은데 계속 곱씹어 읽게 되는 이런 글
넘넘 좋아용~ 취향저격~ (feat.아이콘)

「특별한 소인수분해」 댓글 중, '초선이'

ㅋㅋㅋ 아 진짜~~~ 시바라기님 센스!
생활밀착형 공감도 100프로 시인 시바라기님~
저, 안정기 알아요!!(..자랑??) 사실 얼마 전에 알았음..

「형광등 안정기」 댓글 중, '바로선이'

오늘 제 우산은 시바라기님인가 보네요ㅎㅎㅎ
요즘 하트만 누르다가 문득 시바라기님의 시를 읽고 싶어서
또 새로운 포스팅이 있는지 궁금한 마음에 이 시간에 들어
왔는데 없네용ㅎㅎ
언제 봐도 시바라기님의 시는 최고오!

「우산 2」 댓글 중, '김메롱이'

어머 로맨틱해. 남편한테 강제로 읽게 해야겠어요!!

「반감기」 댓글 중, '체리줍줍이'

시바라기님 시 넘 재밌어요. 보고 또 보고
어제는 옆에 아저씨께도 읽어주었는데 못 알아먹더라고요.
해석해 주고 나만 웃었어요.

「만약」 댓글 중, '소망'

요즘 매일 하늘이 카메라 메인 모델이라 더욱 찐한 공감 꾹 누르고 갑니다! 시바라기님의 시선과 문장으로 담은 하늘빛은 더 예쁠 것 같아서 부럽습니다!

「좋다」 댓글 중, '은플라워'

어멋!!!
시가 너무 치.....
치명적으로 매력 있잖아요!! >.<

「치」 댓글 중, '호갱너너'

제가 요즘 감기로 고생 중이라 시바라기님도 감기 걸려
고생하시는 줄 알고 동병상련! 외치며 들어왔다가
크게 웃고 말았어요.ㅋㅋㅋ
오늘은 커피가 손에 없어서 다행입니다.
눈이 감기는
유행성 감기
이런 발상은 어디서 오는지 늘 감탄하고 갑니다!

「감기」 댓글 중, '구름고래 논술토론'

<너를 잊는데 시간이 더 걸렸다>
오늘의 시 먹먹하게 감상하다
ㅋㅋ 땅멀미에 ㅋㅋㅋ
미소 지으며 단어 수집해갑니다 시바라기님^^
(땅멀미 별표 100)^__^

「땅멀미」 댓글 중, '책읽는 Girl'

난 해 시 ㅋㅋㅋ 아 어쩜 저걸 저기 연결시키시는지..ㅋ
과거에 쌓아두신 내공으로 이렇게 유쾌하기도,
생각하게도 만드시는 능력이 부럽습니다~~

「난해시」 댓글 중, '비다고래'

요번 거는 단어만 조금씩 바꿔도
다른 시로 재탄생하는 명작이네요
저는 사랑스러움으로 바꿔 해석했는데도
정말 좋은 것 같아요! 역시 시바라기님

「분노」 댓글 중, '똥땅2'

가져다주는 게 아닌 동생 보고 오란다
아 이런 말센스는 진짜 타고나야 하는 건가 봅니당

「오란다」 댓글 중, 'Bella Piano'

와~~ 천재 시인님~

썩을 >> 써글 , 글 써~!

멋져요~

지금껏 읽은 수많은 3줄 시 중 최고십니다~!!

「썩을」 댓글 중, '콩콩반달 밝음이'

와..... ㅋㅋㅋ

이 더운 날씨에 시바라기님의 시는 다라이에 한가득 담아 한 번에 끼얹는 냉수 같습니다.

아주 짜릿하고 시원해요~~~~ ㅎㅎㅎ

「애충가」 댓글 중, '나율c'

노트에 살짝 필사해봅니다. 너무 좋은 문장입니다.

「설레음」 댓글 중, 'YQR 커피콩'

빗방울 수만큼
날 사랑하는 거 알아...
짧은 시안에 엄청난 의미가 담겨있네요..
저는 함축적으로 이렇게 멋지게 표현하시는 분들 보면
감탄이 나와요.
시바라기님 멋지세요~~

「우산 1」 댓글 중, '행복담기 씨소'

작가해설이 너무 귀엽고 소중하다 말하면
혹 실례가 될까요?

「겨울비 그 따스함」 댓글 중, '늙지않는 추억'

시바라기님 시를 읽는 이 시간이 좋습니다^^

「좋다」 댓글 중, '반짝반짝 빛나는'

옴마야 이웃님 몽골 보고 쓰신 자작시여요?
혹시?
몽골 사진 있는 줄 알고 클릭했는데
그저 글 보고 감탄하고 갑니다

「몽골 오프로드」 댓글 중, 'W'

혹시 출처가.. 있는 건 아니죠? ㅋㅋ
책으로 출판하는 거 강추합니다! ㅎㅎ
님 멋쥐세용~^^*

「썩을」 댓글 중, '네돈내살'

오랜만에 님의 시를 읽습니다.
뻔할것 같은 특별함

「감기」 댓글 중, '탱'